Livre de recettes de régime méditerranéen facile de tous les jours

50 délicieuses recettes du mode de vie le plus sain

Angelia **Bertrand**

Tous les droits sont réservés.

Avertissement

Les informations contenues dans i sont destinées à servir de collection complète de stratégies sur lesquelles l'auteur de cet eBook a effectué des recherches. Les résumés, stratégies, trucs et astuces ne sont que des recommandations de l'auteur, et la lecture de cet eBook ne garantira pas que les résultats refléteront exactement les résultats de l'auteur. L'auteur de l'eBook a fait tous les efforts raisonnables pour fournir des informations actuelles et exactes aux lecteurs de l'eBook. L'auteur et ses associés ne seront pas tenus responsables de toute erreur ou omission involontaire qui pourrait être trouvée. Le contenu de l'eBook peut inclure des informations provenant de tiers. Les documents de tiers comprennent les opinions exprimées par leurs propriétaires. En tant que tel, l'auteur de l'eBook n'assume aucune responsabilité pour tout matériel ou avis de tiers.

4

Table des matières

INTRODUCTION

Si vous essayez de manger des aliments meilleurs pour votre cœur, commencez par ces neuf ingrédients sains de la cuisine méditerranéenne.

Les ingrédients clés de la cuisine méditerranéenne comprennent l'huile d'olive, les fruits et légumes frais, les légumineuses riches en protéines, le poisson et les grains entiers avec des quantités modérées de vin et de viande rouge. Les saveurs sont riches et les bienfaits pour la santé des personnes qui choisissent un régime méditerranéen, l'un des plus sains au monde, sont difficiles à ignorer - ils sont moins susceptibles de développer une hypertension artérielle, un taux de cholestérol élevé ou de devenir obèses. Si vous essayez de manger des aliments meilleurs pour votre cœur, commencez par ces ingrédients sains de la cuisine méditerranéenne.

50 délicieuses recettes du mode de vie le plus sain

1. houmous Quesadilla (sans fromage) (végétarien)

Fixations

- 1/2 oignon, coupé délicatement
- 1 poivron rouge, coupé délicatement
- 1 tomate Roma, coupée

- 1/2 tasse de maïs (nouveau ou congelé)

- 1 tasse d'épinards, coupés

- 2 tortillas de blé entier ou sans gluten

- 1/3 tasse de houmous jalapeño et coriandre Hope Foods

- 1/2 tasse de haricots noirs, épuisés et lavés

- 1 avocat, écrasé

- Salsa et coriandre, pour la fixation

les directions

1. Dans une poêle moyenne, ajoutez une petite eau (ou de l'huile, le cas échéant) à feu moyen. Ajouter l'oignon; cuire pendant 3-4 minutes, jusqu'à ce qu'ils commencent à se dégager. Ajouter le poivre carillon; cuire 5 minutes. Ajouter la tomate et le maïs; cuire encore 5 minutes. Ajouter les épinards; cuire jusqu'à ce qu'il soit ratatiné, environ 1 moment.

2. Repérez un niveau de tortilla. Sur une portion de la tortilla, ajoutez la moitié du houmous; répartis également. Ajouter la moitié des légumes et 1/4 tasse de haricots noirs sur le houmous.

3. Superposez la tortilla en parties égales.

4. Dans une poêle similaire, ajoutez la quesadilla. À feu moyen, cuire 2 à 3 minutes de chaque côté, jusqu'à ce qu'un peu frais.

5. Éliminer; couper en 4 morceaux égaux.

6. Répétez avec l'autre tortilla et le reste des garnitures.

7. Présenter avec de l'avocat pilé, de la salsa et de la nouvelle coriandre.

2. Bol de petit-déjeuner à l'igname de haricots noirs (végétalien)

Fixations

POUR LE MÉLANGE D'ÉPICES

- 1 cuillère à café de poudre de ragoût de haricots

- 1 cuillère à café de cumin moulu

- 1 cuillère à café de sel marin (ou au goût)

- 1/2 cuillère à café de poudre d'oignon

- 1/2 cuillère à café d'origan

- 1/2 cuillère à café de paprika fumé · 1/4 cuillère à café d'ail en poudre

- poivre noir moulu (au goût)

POUR LES COMPÉTENCES

- 1 cuillère à soupe d'huile d'olive

- 1 oignon jaune, coupé en dés

- 1 poivron rouge, coupé en dés

- 3 gousses d'ail émincées

- 4 tasses d'igname moulue (environ 1 énorme)

- 4 tasses de chou frisé, attaqué en morceaux réduits (j'ai utilisé du chou vert ondulé)

- 1 boîte de 15 oz de haricots noirs, épuisés et rincés

Des lignes directrices

1. Préparez le mélange de saveurs: dans un petit bol, joignez 1 cuillère à café de cumin, 1 cuillère à café

   de poudre de ragoût, 1 cuillère à café de sel marin, 1/2 cuillère à café de poudre d'oignon, 1/2 cuillère à café d'origan, 1/2 cuillère à café de paprika puant, 1/4 cuillère à café d'ail poudre et poivre noir fraîchement moulu au goût. Mettez dans un endroit sûr.

2. Réchauffez l'huile d'olive dans une grande poêle à feu moyen. Ajouter l'oignon coupé en dés et faire revenir jusqu'à ce qu'il devienne clair, environ 3 minutes. Ajouter le poivron coupé en dés et cuire 2 minutes supplémentaires, à ce moment ajouter l'ail émincé et continuer à faire sauter pendant 30 secondes supplémentaires, jusqu'à ce que ce soit parfumé. Ajouter l'igname moulue et mélanger pour consolider, en l'étalant équitablement sur la poêle. Couvrez la poêle. Après environ
   3 minutes, mélanger la combinaison d'igname et couvrir à nouveau pour cuire encore 2-3 minutes.

3. Ajouter le mélange de zeste et mélanger jusqu'à ce qu'il recouvre uniformément l'igname, à ce stade, ajoute le chou frisé et les haricots noirs sur le

16

dessus (ne pas mélanger) - assaisonner avec du sel et du poivre au goût. Couvrir pendant 2-3 minutes pour faire ratatiner le chou frisé, puis révéler et mélanger pour disséminer équitablement le chou frisé et les haricots. Servir rapidement ou répartir entre 4 supports de stockage en verre pour le dîner, préparer et réfrigérer. Mangez dans les 4 jours.

3. petits pains protéinés au yogourt (végétariens / sans gluten)

Fixations

- 1/2 tasse de farine d'amande

- 1,5 cuillère à soupe de farine de noix de coco

- 1/3 tasse de yogourt grec nature

- 1/2 cuillère à café de vanille

- 1/4 cuillère à café de poudre chauffante

- 1/4 tasse de blancs d'œufs

Des lignes directrices

1. Rejoignez toutes les fixations dans un bol et fouettez bien.

2. Image sur mesure pour les petits pains au yogourt. Vider les fixations humides dans

3. Réchauffer une poêle antiadhésive seulement légèrement à feu moyen. Videz le lecteur dans le plat et couvrez avec un dessus.

4. Image sur mesure pour les petits pains au yogourt. Flapjacks cuisson dans le plat

5. Cuire jusqu'à ce qu'il commence à dorer sur la base (environ sept minutes). Retourner et récupérer jusqu'à cuisson complète (environ trois minutes supplémentaires).

6. Image sur mesure pour flapjacks de yaourt. Renverser les flapjacks dans la poêle

7. Servez vite fini avec un produit biologique, du sirop d'érable ou de la margarine de noix!

8. Notes de formule

9. Remarque: ces petits pains poussent beaucoup, alors ne les rendez pas trop énormes.

10. Remarque: connaissez votre poêle! Mon énorme antiadhésif les rend d'une couleur terreuse parfaitement brillante, par ma poêle en faïence les cuit peut-être agréablement chaque fois qu'ils le révèlent.

4. muffins aux œufs et aux épinards aux tomates séchées (amateur de légumes)

Fixations

- 10 œufs énormes
- 1 cuillère à café de sel marin
- 1/4 cuillère à café de poivre noir
- 1/3 tasse de tomates séchées coupées au soleil

- 3/4 tasse d'épinards coupés

- 1/4 tasse de basilic neuf fendu ou chiffonné

- 1 tasse de cheddar parmesan moulu

Des lignes directrices

1. Préchauffer le gril à 400 F.

2. Procurez-vous un moule à biscuits à 12 points et tapissez des doublures en silicone, ou utilisez une poêle à biscuits en silicone. Ou recouvrez à nouveau un plat à biscuits normal d'une douche de cuisson antiadhésive. Mettez dans un endroit sûr.

3. Dans un énorme bol à mélanger, casser les œufs et fouetter avec le sel et le poivre noir.

4. Incluez toutes les autres corrections.

5. Répartir uniformément dans des moules à biscuits remplis aux 2/3. Garnir de cheddar parmesan supplémentaire. 6. Chauffer dans un réchaud préchauffé pendant 12 à 15 minutes, ou jusqu'à ce qu'il soit pris

5. bol de petit-déjeuner Yam (végétarien)

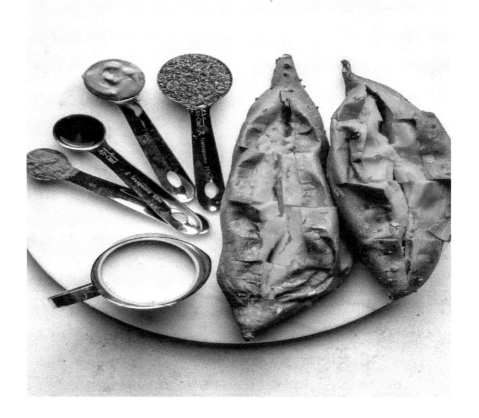

Fixations

- 2 ignames moyennes

- 2/3 tasse de lait non laitier

- 2 cuillères à soupe de lin moulu

- 1 cuillère à soupe de margarine de noix ou de graines de décision (j'ai utilisé la noix de cajou)

- 2 cuillères à café de concentré de vanille

- 1 cuillère à café de cannelle

- Tache de sel

- Garnitures discrétionnaires: grenade, graines de citrouille, yogourt à la noix de coco, éclats de cacao et granola

Des lignes directrices

1. Préchauffez votre gril à 400F et fixez une assiette de préparation avec du papier ou un enchevêtrement de silicone. Lavez les ignames, mais ne les décapez pas. Coupez les pommes de terre plusieurs fois avec une lame, puis mettez-les sur l'assiette et préparez-les pendant 45 à une heure, ou jusqu'à ce qu'un «caramel» commence à déborder des ouvertures pénétrées. (Remarque: si vous avez d'énormes ignames, je vous suggère de les trancher au milieu dans le sens de la longueur et de les placer côté coupé vers le bas sur la plaque chauffante pour réduire le temps de cuisson).

2. Éliminez les ignames du poêle et ramassez prudemment leurs mouchoirs dans un énorme bol. Incluez le lait, le lin, la pâte à tartiner aux noix, la vanille, la cannelle et le sel. Utilisez un mélangeur à

main pour «crémer» la combinaison pendant 60 à 90 secondes, en commençant par le réglage le plus minimal. Là encore, vous pouvez mettre toutes les fixations dans un robot culinaire et mélanger jusqu'à consistance épaisse et lisse, 2 à 3 minutes.

3. Plongez-vous dans des bols de service, garnissez comme vous le souhaitez et servez chaud. Les extras se conservent au réfrigérateur aussi longtemps que 5 jours.

Gâteries pour petit-déjeuner aux céréales et aux pommes et à la cannelle (végétariennes)

Fixations

- 2 ½ tasses d'avoine vieillie (l'avoine ou le combo vif, c'est bien aussi)

- 1 $\frac{1}{2}$ tasse de purée de fruits non sucrée

- 2 cuillères à café de cannelle

- $\frac{1}{2}$ pomme, évidée et coupée en dés

- $\frac{1}{4}$ tasse de sucre naturel, + plus pour saupoudrer

Des lignes directrices

1. Préparation: Préchauffer le gril à 350 degrés F. Tapisser une plaque chauffante avec un matériau, un Silpat ou une huile délicatement avec de l'huile.

2. Mélange: Dans un bol à mélanger de taille moyenne, joindre l'avoine, la purée de fruits et la cannelle. Mélangez bien pour vous joindre. Préparez la pomme en laissant reposer le mélange quelques instants. Ajoutez la pomme et mixez à nouveau.

3. Scoop: À l'aide d'un doseur à cuillère à soupe, évider les collines équilibrées de la combinaison, en prenant soin de l'emballer tendrement avec vos doigts, placez-la sur une feuille de friandises. Si ceux-ci ne sont pas corrigés correctement, ils peuvent en général s'autodétruire. Saupoudrez le point le plus élevé de chaque gâterie avec du sucre. Cette dernière avance est discrétionnaire.

4. Réchauffer: Placer la feuille de friandises dans la cuisinière, sur la grille centrale, et préparer pendant 17 à 20 minutes.

5. Laissez refroidir quelques instants et appréciez!

6. Donne environ 16 à 18 friandises.

7. Conserver: Gardez les friandises supplémentaires, couvertes, sur le comptoir pendant 3 à 4 jours.

7. muffins aux carottes et aux courgettes (amateur de légumes)

Fixations

- $\frac{1}{2}$ tasse de margarine végétarienne

- $\frac{1}{2}$ tasse de purée de fruits non sucrée

- 1 tasse d'édulcorant pur

- $\frac{1}{2}$ tasse de sucre de coco

- 1 cuillère à soupe de concentré de vanille

- $\frac{1}{4}$ tasse de fête de lin

- $\frac{1}{4}$ tasse de lait d'amande

- 2 tasses de farine sans gluten universellement pratique

- 1 tasse de farine d'amande

- $1\frac{1}{2}$ cuillère à café de cannelle

- $\frac{1}{2}$ cuillère à café de gingembre moulu

- $\frac{3}{4}$ cuillère à café de boisson gazeuse

- $\frac{3}{4}$ cuillère à café de poudre chauffante

- $\frac{1}{2}$ cuillère à café d'épaississant (aucune raison impérieuse d'ajouter si le mélange de farine acquis localement en contient désormais)

- $\frac{1}{2}$ cuillère à café de sel véritable

- 1 tasse de pacanes coupées

- 1 tasse de carottes détruites

- 1 tasse de courgettes détruites

- $\frac{1}{2}$ tasse de raisins secs brillants

Des lignes directrices

1. Préchauffer le gril à 335 ° F. Dans un mélangeur électrique à main ou sur socle, crémer la margarine, la purée de fruits, l'édulcorant pur, le sucre de coco et le concentré de vanille jusqu'à ce qu'ils soient légers et plumeux.

2. Incorporer le festin de lin et le lait d'amande. Dans un autre bol à mélanger, consolider la farine sans gluten, la farine d'amande, la cannelle, le gingembre, la préparation de boissons gazeuses, la poudre chauffante, l'épaississant (le cas échéant) et le sel. Ajouter le mélange de farine dans le bol avec la pâte à tartiner à la crème et le sucre, ½ tasse en même temps, en mélangeant uniformément jusqu'à ce que tout soit joint.

3. Incorporer délicatement les pacanes, les carottes, les courgettes et les raisins secs. Laissez la combinaison reposer pendant 15 à 20 minutes.

4. Tapisser un récipient à biscuits avec des doublures en papier, les remplir jusqu'au dessus avec le joueur et lisser tendrement. Chauffer jusqu'à ce que le tout soit ferme, 30 à 33 minutes.

8. bol de petit déjeuner aux lentilles au poulet

Fixations

- Liste de vérification de la réparation

- 7 à 8 tasses de bouillon d'os de poulet

- ⅔ tasse de farro perlé

- ½ tasse de lentilles françaises séchées

- 1 ½ tasse de bulbe de fenouil grossièrement coupé (1 moyen)

- 3 carottes, divisées dans le sens de la longueur et coupées

- 2 petits poireaux, gérés et coupés

- 1 cuillère à soupe d'huile d'olive

- 2 tasses de poulet cuit détruit

- 3 cuillères à soupe de persil nouveau coupé

- 3 cuillères à soupe de nouvelles feuilles de fenouil coupées (discrétionnaire)

- 2 gousses d'ail émincées

- ½ cuillère à café de sel

- ½ cuillère à café de poivre noir

- Coupes de citron (discrétionnaire)

des lignes directrices

Étape 1

Dans une énorme casserole, portez le bouillon d'os de poulet à bouillir. Ajouter le farro et les lentilles.

Revisitation du bouillonnement; diminuer la chaleur. Cuire de 25 à 30 minutes ou jusqu'à délicatesse.

Étape 2

Entre-temps, dans une grande poêle, cuire le fenouil, les carottes et les poireaux dans l'huile chaude à feu moyen pendant environ 5 minutes ou jusqu'à ce qu'ils soient délicats. Dans un bol, mélanger le persil, les feuilles de fenouil (si utilisé) et l'ail.

Étape 3

Mélanger les légumes sautés, le poulet, le sel et le poivre dans la casserole — Cuire et mélanger jusqu'à ce que le tout soit chaud. À chaque fois que vous en avez envie, faites glisser un citron coupé dans chaque bol - des portions supérieures avec une combinaison de persil.

9. friandises au pain aux courgettes (végétariennes / sans gluten)

Fixations

- 1 cuillère à soupe de festin de lin + 3 cuillères à soupe d'eau tiède pour encadrer un œuf de lin

- 1 énorme banane prête, écrasée

- 2 cuillères à soupe de purée de fruits non sucrée

- 1 cuillère à café de concentré de vanille

- 1/2 tasse de flocons d'avoine vieillis

- 1/2 tasse de farine d'avoine

- 1 cuillère à café de cannelle

- 1 cuillère à café de boisson gazeuse

- 1/2 cuillère à café de sel

- 1 courgette moyenne

- 1/3 tasse de pacanes coupées en tranches

- 1/3 tasse de pépites de chocolat **Des lignes directrices**

1. Préchauffer le gril à 350F. Tapisser une feuille de préparation avec du papier matériel.

2. Fouettez ensemble le festin de lin et l'eau dans un petit bol pour former un œuf de lin. Laisser reposer pendant 3 à 5 minutes pour gélatiniser en une surface d'oeuf.

3. Courge banane dans un bol à mélanger. Ajouter l'œuf de lin, la purée de fruits et le concentré de vanille. Mélangez pour consolider.

4. Ajouter l'avoine, la farine d'avoine, la cannelle, la boisson gazeuse et le sel. Mélangez jusqu'à ce que tout autour soit joint.

5. Râpez les courgettes à l'aide d'une râpe ou d'un robot culinaire avec un tranchant destructeur. Entourez les courgettes détruites d'une serviette de séchage impeccable et éliminez autant d'eau que possible la surabondance.

6. Incorporer délicatement les courgettes, à ce moment superposer les pacanes et les pépites de chocolat.

7. Segmentez environ 2 cuillères à soupe de frappeur pour encadrer chaque friandise et placez-la sur la feuille chauffante préparée. Vous devriez avoir 12 friandises. Appuyez délicatement sur chaque friandise pour lisser un peu.

8. Préparez pendant 10 à 12 minutes, jusqu'à ce que le dessous des friandises commence à dorer.

9. Laissez refroidir quelques instants avant de passer à une grille de refroidissement et appréciez!

10.Muffins aux œufs aux champignons et à la dinde

Fixations

- 2 onces de saucisse de dinde hachée

- ½ cuillère à café d'huile d'olive

- ⅓ tasse de champignons Bella pour bébés coupés

- Quatre œufs énormes

- Trois cuillères à soupe de lait écrémé

- ¼ cuillère à café de poivre moulu

- ¼ tasse de cheddar finement détruit

Des lignes directrices

1. Préchauffer le gril à 350 °. Enduire 4 tasses d'un moule à biscuits de douche de cuisson, en vous assurant que chaque tasse est complètement couverte.

2. Dans une petite poêle à frire, cuire le hot-dog à feu moyen-vif jusqu'à ce qu'il se désintègre et cuit environ 7 à 8 minutes. Éliminez la connexion du contenant et la tache sur une assiette fixée avec une serviette en papier.

3. Remettez le plat au chaud; ajoutez l'huile d'olive et les champignons. Faire sauter les champignons pendant 1 à 2 minutes jusqu'à ce qu'ils soient légèrement délicats. Ajouter les champignons au hot-dog.

4. Dans un petit bol, fouetter ensemble les œufs, le lait et le poivre moulu.

5. Mélangez le hot-dog dans les quatre coupes à biscuits. Versez le mélange d'œufs sur la saucisse et les champignons. Vous pouvez avoir un peu plus

en fonction de la taille spécifique de vos gobelets à biscuits.

6. Répartissez équitablement le cheddar entre les coupes à biscuits, en saupoudrant le point le plus élevé de chacune.

7. Cuire 25 minutes ou jusqu'à ce que le biscuit soit ferme au toucher. Éliminer du feu et laisser refroidir légèrement avant de servir.

11. Taco guacamole petit-déjeuner dans une poêle à frire

Fixations

- 6 tortillas de maïs *

- ½ livre de chorizo mexicain *

- 4 œufs

- 1 cuillère à soupe. crème / moitié-moitié / lait (l'un d'entre eux fonctionne)

- couler de sel

- ½ tasse de cheddar moulu

- sauce chili rouge *

- ¼ d'oignon brut coupé en dés

- Guacamole

- 1 avocat

- 1/4 c. À thé Mélange d'épices pour chili vert *

- 2 cuillères à café oignon émincé

- 1 petit quartier de citron vert (~ 1/8 de citron vert)

les directions

1. Si vous faites des tortillas de maïs, préparez-les d'abord. Permettez 30 minutes. Gardez les tortillas au chaud dans une tortilla plus chaude. Si vous utilisez des tortillas acquises localement, placez-les dans un emballage en plastique non verrouillé avec une serviette en papier un peu détrempée. Cuire au micro-ondes pendant 30 secondes à puissance élevée. Passez à une tortilla plus chaude ou conservez-la dans un paquet jusqu'à

ce que vous soyez prêt à l'utiliser. Essayez de ne pas sceller le paquet.

2. Réchauffez la sauce au chili rouge et gardez-la au chaud.

3. Faire le guacamole

4. Écrasez l'avocat dans un bol. (J'utilise une fourchette.)

5. Ajoutez la saveur du Chili vert et l'oignon. Écrasez le jus du quartier de lime sur les fixations. Mélangez pour rejoindre. Goûtez au sel et changez si nécessaire.

6. Réfrigérer jusqu'à ce que vous soyez prêt à rassembler les tacos.

7. Garniture aux œufs et au chorizo

8. Désintégrer le chorizo dans une poêle de taille moyenne et cuire à feu moyen jusqu'à ce qu'il soit cuit mais humide.

9. Pendant la cuisson du chorizo, fouettez ensemble les œufs, la crème et le sel. Au moment où le chorizo est préparé, videz les œufs dans la poêle, utilisez une spatule pour déplacer le mélange et superposez le chorizo.

10. Au moment où les œufs sont presque cuits, superposez le cheddar. Élimine de la chaleur et reste au chaud.

11. Rassemblez un taco en plaçant une boule de combinaison œuf / chorizo / cheddar sur le point focal d'une tortilla. Top et 1 - 2 cuillères à soupe: piment rouge, une information sur le guacamole et la mesure idéale d'oignon haché.

12.Avoine préparée (végétarienne)

Préparation

- 2 tasses d'avoine vieillie

- 1 cuillère à café de cannelle

- 1 cuillère à café de poudre chauffante

- $\frac{1}{4}$ cuillère à café de sel

- 2 bananes trop mûres

- 1 $\frac{1}{2}$ tasse de lait d'amande

- $\frac{1}{4}$ tasse de tartinade veloutée aux noix

- 2 cuillères à soupe de sirop d'érable

- 1 cuillère à soupe de graines de lin moulues

- 1 cuillère à café de concentré de vanille

Des lignes directrices:

1. Préchauffer le gril à 375 ° F.Dans un plat de préparation de 8 × 11 pouces, consolider l'avoine, la cannelle, la poudre chauffante et le sel.

2. Dans un énorme bol à mélanger, écraser les bananes, ajouter le lait d'amande, la tartinade de noix, le sirop d'érable, les graines de lin et le concentré de vanille. Laisser le mélange représenter 5 minutes pour que les graines de lin durcissent.

3. Versez les fixations humides sur la combinaison d'avoine et mélangez pour consolider.

4. Préparez révélée dans le poêle préchauffé jusqu'à ce que le point le plus élevé de la céréale soit brillant, et le mélange est réglé environ 30 à 35 minutes. Éliminez-le et laissez-le refroidir pendant 5 minutes.

5. Présentez-le avec une tartinade de noix saupoudrée et des coupes de banane, quand vous le souhaitez.

13.Muffins aux œufs à la saucisse de dinde

Préparation:

- Emballage de 12 saucisses de Francfort pour petitdéjeuner à la dinde éliminées

- 6 oeufs

- 1 tasse de blancs d'œufs

- 6 formes congelées d'épinards décongelés et épuisés en abondance d'eau (ou 1/2 tasse d'épinards nouveaux cuits et coupés)

- 1 cuillère à café poudre d'oignon

- 2 cuillères à café sauce piquante

- 1/4 c. À thé chaque sel et poivre

Directives / Comment:

1. Préchauffer le gril à 375 degrés F.

2. Éliminez l'emballage des saucisses de dinde. Une fois l'emballage éliminé, concocter la saucisse dans une plaque chauffante à feu moyen-vif pendant environ 5 minutes ou jusqu'à ce qu'elle soit délicatement sautée, en la séparant avec une cuillère jusqu'à ce qu'elle se transforme en morceaux réduits en duvet.

3. Ensuite, remuez les œufs, les blancs d'œufs, les épinards, l'oignon en poudre, la sauce piquante, le sel et le poivre dans un bol de taille moyenne jusqu'à ce qu'ils soient réunis.

4. Huiler un moule à biscuits ou utiliser douze coupelles chauffantes en silicone (FORTEMENT suggéré). Écartez le mélange d'œufs dans douze coupes à biscuits.

5. Ensuite, de même, répartissez le hot-dog à la dinde parmi la combinaison d'œufs dans les douze tasses. Vous voudrez peut-être le presser légèrement pour que quelques saucisses avancent vers la partie inférieure de la combinaison d'oeufs dans chaque tasse.

6. Placez-le dans le gril et préparez-le pendant 30 à 35 minutes ou jusqu'à ce que l'œuf soit bien cuit et non, à ce stade, liquide.

14 Salade Cobb au saumon (pas de bacon sous les tomates séchées)

Fixations:

- Saumon

- 4 filets de saumon (3 à 4 oz chacun)

- Huile d'olive originale STAR

- 1 gousse d'ail émincée

- Sel et nouveau poivre moulu, au goût

- Portion de légumes verts mélangés

- 4 tasses d'épinards pour bébés

- 4 tasses de laitue romaine déchirée

- 2 énormes œufs durs bouillis, coupés en morceaux

- 4 tranches de bacon de dinde, cuites à la fraîcheur idéale et désintégrées

- 2 tasses de tomates cerises, divisées

- 1/2 tasse de cheddar feta désintégré sans gras

- 1 avocat, coupé en morceaux

- 1 citron, coupé en morceaux

Pansement

- 1/4 tasse d'huile d'olive extra vierge STAR

- 2 cuillères à soupe. Vinaigre de vin rouge STAR

- 1 cuillère à soupe. jus de citron, ou au goût

- 1 cuillère à café sauce Worcestershire

- 1 cuillère à café Moutarde de Dijon

- 1 gousse d'ail émincée

- Sel et nouveau poivre moulu, au goût

DES LIGNES DIRECTRICES

1. Préchauffer le gril à 425F et tapisser un récipient de cuisson ou une plaque chauffante de papier d'aluminium. Saupoudrez un peu d'huile sur le point le plus élevé de chaque saumon, à peine pour couvrir le saumon.

2. Saupoudrer le saumon, le sel et le poivre et mettre en valeur l'ail émincé. Repérez le saumon dans le compartiment tardif, côté peau vers le bas; passer au four. Cuire de 15 à 18 minutes ou jusqu'à ce que le saumon tombe avec une fourchette.

3. Éliminer du gril et mettre dans un endroit sûr. Pendant ce temps, préparez la portion de légumes verts mélangés. Mastermind enfant épinards et laitue dans une énorme portion de bol de légumes verts. Garnir de saumon arrangé, d'œufs, de bacon désintégré, de tomates, de feta et d'avocat. Mettez dans un endroit sûr.

4. Dans un petit bol à mélanger ou un récipient avec un dessus, ajoutez de l'huile d'olive vierge supplémentaire, du vinaigre de vin rouge, du jus de citron, de la sauce Worcestershire, de la moutarde, de l'ail émincé, du sel et du poivre; vitesse jusqu'à

ce que tout à fait consolidé. Dans le cas de l'utilisation d'un récipient, fermez-le avec un couvercle et secouez le récipient jusqu'à ce que tout autour soit consolidé.

5. Verser la vinaigrette sur l'assiette de légumes verts mélangés, embellir avec des morceaux de citron et servir.

6. Feuilles de chou mariné aux crevettes marinées.

7. Ce plat est rapide, beau, nutritif et savoureux, il est idéal pour l'été.

15 Feuilles de chou mariné aux crevettes effarées

FIXATIONS

- 1 livre de crevettes énormes dépouillées et déveinées
- 1 cuillère à soupe d'huile d'olive
- 1 cuillère à soupe de jus de citron
- Deux gousses d'ail finement coupées
- $\frac{1}{2}$ cuillère à café de paprika
- $\frac{1}{4}$ cuillère à café de sel
- $\frac{1}{4}$ cuillère à café de poivre noir
- 1 tasse de pesto de Collard Greens (voir formule cidessous)
- 1 paquet de tomates sur la plante
- 8 onces de fettuccine ou d'autres pâtes longues cuites et épuisées (économisez une partie de l'eau des pâtes)
- US coutumier - Métrique

les directions

1. Faites mariner les crevettes dans un bol avec l'huile d'olive, le jus de citron, l'ail, le paprika, le sel et le poivre.

2. Chauffer un barbecue ou un plat à griller à feu moyen-vif et éclabousser avec la douche de cuisson. Griller les crevettes 2-3 minutes de chaque côté jusqu'à ce qu'elles soient troubles. Élimine de la chaleur. Ajouter les tomates au gril à la flamme et cuire quelques instants, en les retournant rarement, jusqu'à ce qu'elles soient délicatement brûlées et adoucies.

3. Jetez les fettuccini cuits avec environ 1 tasse de pesto de chou vert. Incorporer une portion de l'eau des pâtes conservée jusqu'à ce que la sauce recouvre les pâtes. Conservez l'excès de pesto pour une autre utilisation. Orchestrez les crevettes et les tomates grillées à la flamme sur les pâtes et servez

16.Enveloppes de salade d'œufs et de bretzel.

6

Fixations

- $\frac{1}{4}$ tasse de yogourt grec nature sans gras

- 1 cuillère à soupe de mayonnaise

- $\frac{1}{2}$ cuillère à café de moutarde de Dijon

- 1 pincée de sel

- 1 pression de poivre moulu au goût

- 3 oeufs bouillis durs chacun, dépouillés

- 2 branches de céleri émincées

- 2 cuillères à soupe d'oignon rouge émincé

- 2 feuilles 2 ou 3 énormes morceaux de feuilles de laitue glacée

- 1 cuillère à soupe de basilic nouveau coupé

- 2 carottes chacune, dépouillées et coupées en bâtonnets

les directions

Étape 1

Fouetter le yogourt, la mayonnaise, la moutarde, le sel et le poivre dans un bol moyen. Jetez un jaune d'oeuf. Hackez les œufs restants et placez-les dans le bol. Ajouter le céleri et l'oignon et mélanger pour consolider. Couper les feuilles de laitue au milieu et les superposer en deux couches pour faire 2 wraps de laitue. Séparer le plat d'oeufs des légumes verts mélangés parmi les wraps et garnir de basilic. Présentez avec des bâtonnets de carottes après coup.

17.La portion de poulet de légumes verts mélangés sur du blé vert diminue (pas de mayonnaise sous yogourt grec)

Fixations

- 3 tasses de poitrines de poulet désossées et sans peau cuites (environ 1 $\frac{1}{4}$ livre ou 3 poitrines petites

/ moyennes), coupées en dés de ½ pouce

- 2 tasses de raisins rouges sans pépins divisés

- 3 tiges moyennes de céleri coupées en dés (1 ½ tasse insuffisante)

- 2 énormes oignons verts ou 3 petits / moyens oignons verts, légèrement coupés (environ ¼ tasse)

- ½ tasse d'amandes coupées ou d'amandes fragmentées, grillées

- 1 tasse de yogourt grec nature sans gras

- 2 cuillères à soupe de lait écrémé

- 2 cuillères à café de nectar

- 1 cuillère à café de sel légitime en plus d'un supplément au goût

- ½ cuillère à café de poivre noir en plus d'un supplément au goût

- 2 cuillères à soupe d'aneth frais haché

- Recommandations de service: croissants de pain de grains entiers, feuilles de laitue, saltines

les directions

1. Repérez le poulet en dés, les raisins, le céleri, les oignons verts et les amandes dans un grand bol. Dans un autre bol, fouettez ensemble le yogourt

grec, le lait, le nectar, le sel et le poivre. Verser sur le mélange de poulet et jeter à couvert. Goûtez et ajoutez du sel et du poivre au besoin. Si le temps le permet, réfrigérez pendant 2 heures ou toute la nuit.

2. Au moment de servir, saupoudrez d'aneth neuf. Remplissez-le comme garniture pour les sandwichs, sur une assiette de légumes verts mélangés, comme un plongeon avec des saltines, ou appréciez-le simplement hors du bol.

18.Bol de riz au poulet Bar-b-que

Fixations

- 1/3 tasse (80 ml) de sauce soya

- 1/3 tasse (80 ml) de nouveau jus de citron

- 1 cuillère à soupe de sucre de couleur terreuse clair

- Gingembre en morceaux de 4 cm, dépouillé, finement moulu (environ 2 cuillères à café)

- 1 cuillère à café d'huile de sésame

- Filets de cuisse de poulet 4 Coles Australian RSPCA approuvés (environ 550g), gérés

- 1 cuillère à soupe d'huile végétale

- 3 tasses de riz de couleur terreuse à grains moyens nouvellement cuit

- 2 petits avocats, dépouillés, fendus, dénoyautés, maigres coupés

- 2 concombres libanais, hachés

- 200g de tomates périno, coupées en deux

- 2 oignons nouveaux, coupés délicatement

- 1/2 tasse de nouvelles feuilles de coriandre

directions

Étape 1

Dans un petit bol, fouetter la sauce soja, le jus de citron, le sucre, le gingembre et l'huile de sésame jusqu'à ce que le sucre soit décomposé. Dans un emballage en plastique refermable, consolider le poulet, l'huile végétale et 1 cuillère à soupe de vinaigrette de soja. Tourner le poulet dans un paquet pour le couvrir. Faire mariner dans la glacière pendant dans tous les cas 15 minutes et aussi longtemps que 1 jour. Réfrigérer le reste de la vinaigrette de soya.

Étape 2

Installez un gril pour une chaleur moyenne-élevée. Éliminez le poulet de la marinade. Griller le poulet de 5 à 6 minutes de chaque côté ou jusqu'à ce qu'il soit bien cuit. Mettez de côté pour reposer pendant 5 minutes. Coupez le poulet. Étape 3

Riz de séparation entre 4 plats. Garnir de poulet, d'avocat, de concombre et de tomate. Déposer le reste de la vinaigrette de soya sur le poulet et les légumes. Saupoudrer d'oignons verts et de feuilles de coriandre.

19. Salade de poulet à la chinoise

Fixations

PANSEMENT ASIATIQUE

- 2 cuillères à soupe de sauce soja légère (Note 1)

- 3 cuillères à soupe de vinaigre de riz (autrement connu sous le nom de vinaigre de vin de riz, ou utilisez du vinaigre de jus)

- c. à soupe d'huile de sésame (grillée)

- 2 cuillères à soupe d'huile de pépins de raisin (ou de canola ou autre huile assaisonnée non partisane)

- 1 cuillère à café de sucre

- 1/2 cuillère à café de gingembre nouveau, moulu ou finement coupé

- 1 gousse d'ail émincée

- 1/2 cuillère à café de poivre noir

- Assiette de verts mélangés

- 4 tasses de chou chinois (chou nappa), finement démoli (Note 2)

- 1/2 tasse de chou rouge, finement oblitéré

- 1 tasse de carotte, finement coupée en julienne (voir vidéo)

- 2 tasses de poulet, anéanti

- 1/2 tasse d'échalotes / oignons verts, trancher finement en biais

- Embellissements

- / 2 ou 1 tasse de nouilles croquantes (j'utilise Chang's) (Note 3)

- 1-2 cuillères à café de graines de sésame

les directions

1. Consolidez la préparation de vinaigrette dans un récipient et secouez. Mettez dans un endroit sûr pendant environ 10 minutes pour que les saveurs fusionnent.

2. Repérez l'assiette de fixations de légumes verts mélangés ensemble dans un grand bol à côté d'une grande partie des nouilles croquantes. Saupoudrer sur la vinaigrette, à ce moment jeter. (Remarque 4)

3. Séparation entre les bols de service. Garnir de nouilles plus croquantes et d'une bonne pincée de graines de sésame. Servez tout de suite!

20 Choux de Bruxelles cuits au saumon tocos

Fixations

- 14 gousses d'ail énormes chacune, divisées
- $\frac{1}{4}$ tasse d'huile d'olive extra vierge

- 2 cuillères à soupe d'origan neuf finement haché, partitionné

- 1 cuillère à café de sel, séparé

- $\frac{3}{4}$ cuillère à café de poivre fraîchement moulu, séparé

- 6 tasses de Bruxelles grandit, gérée et coupée

- $\frac{3}{4}$ tasse de vin blanc, idéalement Chardonnay

- 2 livres de filet de saumon sauvage, nettoyé, coupé en 6 segments

- 1 quartiers de citron

les directions

Étape 1

Préchauffer le poêle à 450 degrés F.

Étape 2

Émincer 2 gousses d'ail et consolider dans un petit bol avec de l'huile, 1 cuillère à soupe d'origan, 1/2 cuillère à café de sel avec 1/4 cuillère à café de poivre. Fendre les restes d'ail et les jeter avec les oisillons de Bruxelles et 3 cuillères à soupe de l'huile préparée dans un grand plat à griller. Faire griller, en mélangeant une fois, pendant 15 minutes. Étape 3

Ajouter le vin à la combinaison d'huile restante. Retirez la poêle du gril, mélangez les légumes et placez le saumon dessus. Douche avec le mélange de vin. Saupoudrer du reste 1 cuillère à soupe d'origan et 1/2 cuillère à café de sel et de poivre. Préparez jusqu'à ce que le saumon soit tout simplement cuit, 5 à 10 minutes de plus. Présenter avec des quartiers de citron.

21 Salade mexicaine de pois chiches

INGRÉDIENTS

- 2 cuillères à soupe d'huile végétale ou d'olive

- 1 cuillère à soupe de citron vert ou de jus de citron

- 1 cuillère à café de cumin

- 1/4 cuillère à café de poudre de piment

- 1/4 cuillère à café de sel

- 19 oz de pois chiches, lavés et épuisés

- 1 énorme tomate, coupée en dés

- 3 oignons verts entiers, coupés OU 1/3 tasse d'oignon rouge en dés

- 1/4 tasse de coriandre finement coupée (coriandre nouvelle)

- 1 avocat, coupé en dés (discrétionnaire)

les directions

1. Dans un bol, fouettez l'huile, le jus de citron, le cumin, la poudre de ragoût de haricots et le sel.

2. Ajouter les pois chiches, les tomates, les oignons, la coriandre et jeter jusqu'à ce qu'ils soient joints.

3. Si vous utilisez de l'avocat, ajoutez-le juste avant de servir. sera réfrigéré jusqu'à 2 jours.

22.Ragoût de poulet fumé au moracin

Ingrédients

- 1 lb de poulet fumé râpé

- 1/2 oignon blanc (tranché)

- 1/2 poivron vert (tranché)

- 5 gousses d'ail (coupées)

- 1 sac de légumes mélangés surgelés (dans le cas où vous n'en avez pas de nouveaux)

- 1 piment jalapeno (coupé)

- 1 cuillère à soupe de cumin

- 1 cuillère à café de fumée fluide

- 1/2 bouillon de poulet knorr forme 3D

- 1/4 cuillère à café de poivre de Cayenne

- 1/2 cuillère à café de poudre de ragoût terne

- 3 et 1/4 tasses d'eau tiède (discrète)

- 2 cuillères à café de fécule de maïs

- 2 cuillères à soupe d'huile de coco

les directions

1. Ajouter de l'huile dans la poêle (j'ai utilisé de la fonte, comme d'habitude, lol) et chauffer. Ajouter les poivrons et les oignons et faire sauter pendant quatre minutes seulement.

2. Ajouter l'ail avec le jalapeno et faire revenir 2 minutes supplémentaires.

3. Ajouter les légumes mélangés.

4. Ajoutez les 3 tasses d'eau et chacune de vos saveurs.

5. Faire bouillir, à ce moment-là, baisser la chaleur pour ragoût et cuire jusqu'à ce que le liquide diminue considérablement.

6. Mélanger la fécule de maïs avec 1/4 tasse d'eau et mélanger dans la poêle. Laisser cuire encore quelques minutes ou jusqu'à ce que le bouillon épaississe.

7. Ajouter le poulet à la fin et mélanger. J'ai servi le mien sur des pommes de terre aux marrons!

23.Bol de quinoa au poulet grillé

Fixations

Pour le poulet:

- 1 poitrine de poulet désossée et sans peau de 6 onces

- 1/4 tasse + 2 cuillères à soupe d'huile d'olive

- 1 citron pressé et zesté

- 2 gousses d'ail pressées ou émincées

- 2 cuillères à café d'origan séché

- 1/2 cuillère à café de sel légitime

- 1/4 cuillère à café de poivre noir fraîchement moulu

- 1 tasse de brocoli et de feta rôtis faciles

- 1/2 tasse de tomates rôties faciles pour le

quinoa:

- 1 tasse de quinoa séché

- 1 cuillère à café de sel légitime

- Cheddar feta désintégré

les directions

1. Coupez la poitrine de poulet en morceaux de 1 pouce et ajoutez-les à une glacière d'un gallon. presser et zing, l'ail, l'origan et le sel et le poivre, à ce stade, ajouter au sac, sceller et mariner pendant de toute façon 30 minutes pour accélérer.

2. Chauffer le reste 2 cuillères à soupe d'huile d'olive dans une poêle antiadhésive à feu moyen-élevé. Ajouter le poulet à la poêle et cuire jusqu'à ce qu'il

soit caramélisé de tous les côtés et cuit environ 10 à 12 minutes.

3. Baisser la chaleur à moyen et ajouter également le brocoli et les tomates dans la poêle avec plus d'huile d'olive si nécessaire, et réchauffer.

4. En attendant, faites cuire le quinoa. Rincez-le d'abord dans un tamis à réseau fin sous l'eau virale. Faites chauffer une casserole d'eau jusqu'à ébullition à feu vif, puis ajoutez 1 cuillère à café de sel légitime et le quinoa. Faites-les bouillir comme des pâtes jusqu'à ce qu'elles soient encore un peu fermes, en mélangeant accessoirement, environ 8 à 10 minutes. Canal, alléger avec une fourchette et remettre le quinoa dans la casserole, couvrir avec un torchon, à ce point un dessus et laisser reposer pendant 5 à 10 minutes.

5. Pour ramasser les plats, répartissez le quinoa entre les plats et garnissez chacun de la moitié de la combinaison poulet et légumes. Assaisonnez avec du sel plus légitime et du poivre noir fraîchement moulu au goût et saupoudrez avec plus d'huile d'olive si vous le souhaitez. Saupoudrer de feta cheddar se désintègre et servir.

24 Salade Cobb au Poulet

Ingrédients

- 4 gros œufs, température ambiante

- 125 grammes. bacon (environ 4 tranches)

- 2 cuillères à soupe. vinaigre de xérès ou vinaigre de vin rouge

- 1 cuillère à soupe. Moutarde de Dijon

- 1tsp. du sucre

- ¼ tasse d'huile d'olive extra vierge

- Sel casher, poivre fraîchement moulu

- 8 tasses frisée grossièrement déchirées

- ½ poulet rôti, viande arrachée des os et détruite (environ 2 tasses)

- 2 gros steaks de bœuf et tomates anciennes, coupés en quartiers

- 1 avocat mûr, en quartiers

Étape 1

Chauffez 8 tasses d'eau jusqu'à ébullition dans une énorme casserole. Abaisser délicatement les œufs dans l'eau et faire bouillir pendant 7 minutes pour les jaunes de taille moyenne. Déplacez rapidement les œufs dans un bol moyen d'eau glacée et laissez refroidir jusqu'à ce qu'ils soient froids, environ 5 minutes. Épluchez les œufs sous l'eau courante; mettre dans un endroit sûr.

Étape 2

Repérer le bacon dans une poêle moyenne sèche et mettre à feu moyen-doux. Cuire, de temps à autre en retournant, jusqu'à ce qu'ils soient de couleur terreuse et frais, de 8 à 10 minutes. Déplacez-vous sur des serviettes en papier et laissez canal.

Étape 3

Ajouter le vinaigre, la moutarde, le sucre et 1 c. Arroser jusqu'à la graisse livrée dans la poêle et accélérer jusqu'à consistance lisse et émulsionnée. Pas à pas couler dans l'huile, courir sans cesse jusqu'à ce qu'un pansement épais se structure; Assaisonnez avec du sel et du poivre.

Étape 4

Organisez la frisée sur un énorme plateau et assaisonnez de sel et de poivre. Saupoudrer une partie de la vinaigrette chaude. Coupez les œufs au milieu et le cerveau sur du poulet frisé et détruit, des quartiers de tomates, de l'avocat et du bacon (séparez le bacon lorsque vous le souhaitez) - Assaisonnez une portion de légumes verts mélangés avec le reste de la vinaigrette au sel et au poivre.

25. Assiette de couscous aux crevettes et à la lime de légumes verts mélangés

Fixations

Crevette

- 1 cuillère à café de citron vert moulu

- 1/4 tasse de nouveau jus de lime

- 3 cuillères à soupe d'huile d'olive extra vierge

- 2 cuillères à soupe de sauce soja faible en sodium

- 1 piment jalapeno, cultivé et émincé

- 2 cuillères à soupe de feuilles de coriandre hachées

- 1 cuillère à soupe d'ail émincé

- 1 cuillère à soupe de sucre

- 1 cuillère à café de poudre de ragoût de haricots

- 1/4 cuillère à café de Cayenne

- 1/2 livre de crevettes moyennes dans la coquille

- Couscous

- 2 tasses de couscous israélien

- 1 mangue

- 1 courgette moyenne

- Huile végétale, pour le brossage

- 2 1/2 tasses de bouillon de poulet idéalement fabriqué à la main ou faible en sodium acheté localement

- 1/2 à 1 cuillère à café de sel, au goût

- 1 cuillère à soupe de margarine non salée

- 2 cuillères à soupe de feuilles de persil ragréées

conseils

1. Faire mariner les crevettes: Dans un bol moyen, mélanger le zing de lime, le jus, l'huile d'olive, le soja, le piment jalapeno, la coriandre, l'ail, le sucre, la poudre de ragoût de haricots et le poivre de Cayenne. Décaper les crevettes en les laissant sur les queues et déveiner.

2. Rincez, puis séchez complètement avec du papier absorbant. Mettez les crevettes dans un énorme sac à fermeture éclair, versez la marinade dessus, fermez le paquet, expulsez l'air, en frottant la marinade dans les crevettes. Réfrigérer 20 minutes.

3. Préchauffer un barbecue à feu moyen-vif.

4. Faire le couscous: Dans une poêle sèche et moyenne à feu moyen-doux, faire griller le couscous, en mélangeant habituellement, jusqu'à ce qu'il soit de couleur terreuse brillante, 8 à 10 minutes. Mettez dans un endroit sûr.

5. Dénudez la mangue, placez-la sur son extrémité avec un léger bord face à vous, et passez votre lame près du centre de la graine pour couper 2 coupes de chacun des différents côtés, en faisant 4 coupes tous les 1/2 pouce d'épaisseur. (Mangez les restes de mangue pour une friandise.) Coupez les courgettes le long du chemin en morceaux de 1/3 à 1/2 pouce.

6. Badigeonner la mangue de morceaux de courgette avec de l'huile végétale des deux côtés et faire griller à la flamme jusqu'à ce qu'elle soit brûlée et délicate, 6 à 8

minutes. Laisser refroidir et ensuite couper en grumeaux de 1/2 pouce.

7. Dans une poêle moyenne, chauffer le bouillon de poulet à ébullition. Ajouter le couscous grillé, mélanger, couvrir, diminuer la chaleur et faire mijoter pendant 7 minutes seulement. mettre la mangue, les courgettes, 1/2 cuillère à café de sel, la margarine et le persil; cuire 1 instant - goûter à la préparation avec cuisson. Garder au chaud.

8. Ajoutez les crevettes sur une planche à découper et réglez-les ensemble par groupes de 6. En utilisant 2 bâtonnets pour chaque rassemblement (cela les empêche de tomber dans le barbecue et les rend plus simples à retourner), collez les crevettes. Griller les crevettes jusqu'à ce qu'elles soient tout juste cuites, 2 minutes de chaque côté, et servir sur le couscous.

26.Ton salade de concombre pita chips de fruits

Fixations:

- 1 poche (environ 7 oz) de thon

- 1/4 tasse de mayonnaise réduite en gras ou portion de vinaigrette aux légumes verts

- 1/4 tasse de yogourt nature sans gras

- 1/2 tasse de concombre coupé

- 2 cuillères à soupe d'oignon rouge coupé

- 2 cuillères à soupe de nouvelle herbe coupée ou 1 cuillère à café d'aneth séché

- 1 cuillère à café de mélange aromatisant sans sel

- 2 pains pita de blé entier (8 pouces)

- 1 tasse de laitue détruite

- 1 petite tomate coupée en tranches (1/2 tasse)

Pas:

1. Empêchez votre écran de s'émousser pendant que vous cuisinez.

2. Dans un bol moyen, mélanger le poisson, la mayonnaise réduite en gras, le yogourt, le concombre, l'oignon, l'aneth et le mélange de préparation.

3. Couper le pain pita au milieu pour former des poches. Verser 1/4 du mélange dans chaque moitié de pain pita. Ajouter la laitue et la tomate.

4. Dinde moulins à vent raisins carottes houmous

5. Des couches de dinde, de fromage provolone et de jeunes épinards sur un wrap de tortilla moelleux tartiné d'houmous... Ces moulins à houmous de dinde sont une délicieuse idée de repas ou de collation!

27. Turkey moulins à vent raisins carottes houmous

Ingrédients:

1. Wrap tortilla doux

2. Cuillère à soupe de houmous

3. Tranches Tranches de Provolone Sargento ultra minces

4. Morceaux de viande de dinde pour déjeuner

5. Petite poignée de bébés épinards

Instructions:

1. Disposez une fine couche de houmous sur un côté de la tortilla moelleuse.

2. Superposer les tranches de provolone sargento ultra minces et la dinde sur le houmous. Étalez les bébés épinards sur un côté de la dinde et du fromage.

3. Commencez à emballer en repliant le bord de la tortilla sur les épinards et en continuant à rouler la tortilla aussi étroitement que possible.

4. Trancher le wrap en rouleaux de 1 pouce et servir.

28. Boulettes de viande de thon légumes rôtis

Fixations

POUR LA SAUCE TOMATE

- huile d'olive

- 1 petit oignon, épluché et finement coupé

- 4 gousses d'ail, épluchées et finement coupées

- 1 cuillère à café d'origan séché

- 2 x 400 g de tomates italiennes en conserve de grande qualité

- sel de l'océan

- poivre noir fraîchement moulu

- Vinaigre de vin rouge

- 1 petit paquet de persil en feuilles de niveau nouveau, feuilles cueillies et généralement coupées

POUR LES BOULES DE VIANDE

- 400 g de poisson, provenant de sources supportables, demandez à votre poissonnier

- huile d'olive

- 55 g de pignons de pin

- 1 cuillère à café de cannelle moulue

- sel de l'océan

- poivre noir fraîchement moulu

- 1 cuillère à café d'origan séché

- 1 petit bouquet de persil en feuille de niveau nouveau, coupé

- 100 g de chapelure plate

- 25 g de parmesan, fraîchement moulu

- 2 œufs non clôturés

- 1 citron

Conseils:

1. Je me rends compte que tout le monde est un aficionado des boulettes de viande, alors j'ai pensé vous donner une formule pour celles-ci car elles sont quelque chose d'unique. Je les ai vus fabriqués en Sicile de la même manière, en utilisant une combinaison d'espadon et de poisson - pas de poisson cogné ou en conserve, cependant. Celles-ci doivent être préparées avec du nouveau poisson et elles sont constamment préparées discrètement avec des épices siciliennes - cette formule est de la même manière que les adaptations à la viande!

2. Pour commencer, préparez votre sauce. Repérez un énorme récipient sur la chaleur, ajoutez une bonne dose d'huile d'olive, votre oignon et votre ail et faites-les frire progressivement pendant environ

10 minutes jusqu'à délicatesse. Ajoutez votre origan, les tomates, le sel et le poivre et portez à la bulle. Ragoût pendant 15 minutes ou à peu près, à ce stade, liquéfier jusqu'à consistance lisse. Goût - cela peut nécessiter une minuscule boisson de vinaigre de vin rouge ou un arôme supplémentaire.

3. Pendant que les tomates mijotent, coupez le poisson en dés de 2,5 cm. Versez quelques cuillères à soupe d'huile d'olive dans une énorme plaque chauffante et placez-la sur la chaleur. Ajouter le poisson dans la poêle avec les pignons de pin et la cannelle. Assaisonner doucement de sel et de poivre et faire frire un instant pour cuire le poisson de tous les côtés et faire griller les pignons de pin. Éliminer de la chaleur et mettre le mélange dans un bol. Laissez refroidir pendant 5 minutes, puis ajoutez l'origan, le persil, la chapelure, le parmesan, les œufs, le zing et le jus de citron dans le bol. En utilisant vos mains, frottez vraiment et mélangez les saveurs dans le poisson, divisez la combinaison et pressez-la en boulettes de viande un peu plus modestes qu'une balle de golf. Si vous trempez une de vos mains dans l'eau pendant la formation, vous obtiendrez une surface lisse et décente sur la boulette de viande.

Dans le cas où le mélange est collant, ajoutez quelques miettes de pain supplémentaires. Gardez les boulettes de viande autour d'une taille similaire et placez-les sur une assiette huilée, à ce stade, mettez-les dans la glacière pendant une heure pour leur permettre de se reposer.

4. Mettez le plat que vous avez fait rôtir le poisson dans le dos sur la chaleur avec un peu d'huile d'olive. Ajoutez vos boulettes de viande dans le récipient et remuez-les jusqu'à ce qu'elles soient de couleur terreuse brillante, toutes finies. Vous devriez les détruire en grappes - quand elles sont prêtes, ajoutez-les à la purée de tomates, répartissez entre vos assiettes, saupoudrez de persil haché et douchez-vous avec une bonne huile d'olive. Incroyable présenté avec des spaghettis ou des linguines.

29. Chou plantain de poulet Yank (cuisses désossées)

Fixations:

- à soupe d'assaisonnement jamaïcain chaud et épicé Walkerswood

- 4 cuisses de poulet avec la peau avec os

- 2 poitrines de poulet avec os

- 1 cuillère à café d'huile ou douche de cuisson

Des lignes directrices:

1. Faire des coupes dans la viande de poulet avec la pointe d'une lame tranchante

2. Avec une main gantée, placez une cuillère à soupe de marinade dans les points d'entrée et sous la peau du poulet

3. Ajouter 2,5 cuillères à soupe supplémentaires de marinade dans un pack ziptop et ajouter le poulet

4. Mélanger le poulet dans la marinade et laisser reposer au frais pendant 8 à 24 heures

5. Préchauffer le poêle à 425 degrés Fahrenheit

6. Au moment où le gril est réchauffé, huiler doucement votre plat de cuisson et chauffer pendant 50 minutes, en retournant à mi-chemin

7. Laisser reposer 10 minutes et servir

30 Boulettes de viande de poulet au sésame carottes riz de couleur terreuse

Fixations:

- Huile de canola, pour le brossage

- 1 livre de poulet haché, viande idéalement tamisée

- 1/2 tasse de morceaux de pain sec nature

- 1/3 tasse d'oignons verts émincés, en plus des oignons verts maigres pour embellir

- 3 cuillères à soupe de gingembre nouveau, haché et dénudé

- 1 énorme œuf

- 2 gousses d'ail émincées

- 2 cuillères à café d'huile de sésame grillé

- 2 cuillères à café de sauce soja

- 1/4 cuillère à café de sel véritable

- Sauce chili asiatique, pour servir

Des lignes directrices:

Étape 1

Préchauffer le gril à 450 ° et badigeonner une plaque chauffante à rebords d'huile de canola. Dans un grand bol, mélanger le reste des fixations en dehors de la sauce chili. Structurez le mélange en boules de 1/2 pouce et créez un cerveau sur la plaque chauffante. Badigeonner les boulettes d'huile de canola et préparer environ 13 minutes, jusqu'à ce qu'elles soient sautées et bien cuites.

Déplacez les boulettes de viande dans un plat et présentez-les avec la sauce chili asiatique.

31.Bœuf sauté aux asperges de quinoa

Ingrédients:

- Médiavine

- 12 onces de bœuf haché

- 3/4 tasse de quinoa

- 3/4 tasse d'eau

- 3/4 tasse d'asperges

- 3 carottes

- 2 cuillères à café d'huile de sésame

- 2 cuillères à soupe de sauce soja

- 1/3 tasse de pois

Des lignes directrices:

1. Consolidez l'eau et le quinoa dans une petite casserole. Porter à un ragoût et laisser mijoter pendant 15 à 20 minutes. S'occupera de la viande et des légumes pendant la cuisson du quinoa.

2. Coupez les carottes en morceaux de 1/8 de pouce d'épaisseur et coupez ensuite les asperges en morceaux réduits.

3. Chauffer une poêle à feu moyen. Ajouter 1 cuillère à café de cette huile de sésame et 1 cuillère à soupe

   de sauce soja. Ajouter la viande hachée et mélanger pour préparer également. Utilisez une cuillère en bois pour diviser la viande en petits morceaux. Cuire 4 à 5 minutes jusqu'à ce que pratiquement tout le hamburger soit caramélisé.

4. Repérez les carottes sur le hamburger. Couvrir la poêle, baisser la chaleur à doux et laisser mijoter pendant 5 minutes. À ce stade, saupoudrez les restes d'huile de sésame et de sauce soja. Ajoutez les petits pois et les asperges. Mélangez, augmentez la chaleur à moyen-doux, puis couvrez à nouveau la poêle et laissez cuire 5 minutes supplémentaires.

5. Rembourrez le quinoa avec une fourchette et ajoutez-le à la combinaison de hamburgers et de légumes. Mélangez le tout et déposez-le ensuite sur des assiettes.

32.Bol à tacos de patates douces à la dinde

Fixations:

- 1 énorme igname
- huile d'olive, sel légitime, poivre, cumin, cannelle moulue
- 1 livre de dinde hachée (ou viande ou poulet)
- 1 paquet de préparation de tacos
- 3/4 tasse de crème légère
- 3/4 tasse de salsa
- Discrétionnaire: sauce piquante
- 1 pot de haricots noirs épuisés et lavés
- 1 boîte de maïs épuisé
- 1 tasse de coriandre fraîche coupée
- 1 avocat
- 1 tasse de cheddar détruit
- 1 citron vert coupé en quartiers

Les directions:

1. Coupez l'igname en blocs de 1 pouce. Repérez sur une feuille de préparation et saupoudrez d'huile d'olive.

   Saupoudrer de sel, de poivre, de cumin et de cannelle moulue. Jetez pour couvrir équitablement.

Placer dans une cuisinière à 425 degrés pendant 20 à 25 minutes, en jetant partiellement le temps de cuisson.

2. Pendant la cuisson des ignames, placer la dinde hachée dans une poêle à feu moyen. Lorsqu'il est de couleur terreuse, ajoutez le taco à préparer le colis avec 1/4 tasse d'eau — Faites cuire pendant 5 minutes supplémentaires.

3. Mélangez la crème légère âcre, la salsa et la sauce piquante (quand vous le souhaitez) dans un bol et mettez-les dans un endroit sûr.

4. Au moment où les ignames et la viande de taco de dinde sont un peu refroidies, amassez vos plats. Dans chaque bol, placer les ignames, la viande de taco, le maïs, les haricots noirs, la nouvelle coriandre, l'avocat (coupé juste avant de servir) et le cheddar. Présenter avec des quartiers de lime après coup et la vinaigrette à la crème et à la salsa âcre.

5. Le dîner prépare les extras dans des compartiments avec la vinaigrette après coup quand on le souhaite, à l'exception de l'avocat car il deviendra de couleur terreuse

33. Poulet aux herbes et riz jaune brocoli mijoté

Fixations:

- 2 cuillères à soupe d'huile, séparées

- 1/2 livre de lanières de poulet, coupées en lanières
  Substitutions accessibles

- 1 tasse d'oignon haché

- 1/2 cuillère à café d'ail émincé

- 2 1/2 tasses d'eau

- 1 paquet de mélange de riz jaune Zatarain's®

- 1 paquet (10 onces) de fleurons de brocoli surgelés,
  décongelés

- 1 tasse de cheddar détruit

Des lignes directrices:

1. Chauffer 1 cuillère à soupe d'huile dans une grande
   poêle à feu moyen-élevé. Ajouter le poulet; cuire et
   mélanger 5 minutes ou jusqu'à ce que les
   ingrédients soient sautés. Éliminez le poulet;
   mettre dans un endroit sûr

2. Réchauffez l'excédent de 1 cuillère à soupe d'huile
   dans la poêle. Ajouter l'oignon et l'ail; cuire et
   mélanger pendant 4 minutes ou jusqu'à ce que le
   tout soit adouci. Ajoutez de l'eau; amener à

bouillir, en mélangeant pour obtenir des morceaux cuits de la partie inférieure de la poêle. Incorporer le mélange de riz; revisitation de la bulle. Diminue la chaleur à faible; couvrir et faire mijoter 20 minutes

3. Repérer le brocoli et le poulet sur le riz; couverture. Cuire 5 minutes de plus ou jusqu'à ce que le brocoli et le poulet soient bien chauds

4. Saupoudrer de cheddar sur le dessus; couverture. Élimine de la chaleur. Laisser reposer 5 minutes ou jusqu'à ce que le cheddar soit liquéfié.

34.Bol à rouler les œufs

Fixations

- 1 cuillère à soupe. huile végétale

- 1 gousse d'ail émincée

- 1 cuillère à soupe. nouveau gingembre émincé

- 1 lb de porc haché

- 1 cuillère à soupe. huile de sésame

- 1/2 oignon, coupé délicatement

- 1 c. carotte détruite

- 1/4 de chou vert, coupé maigrement

- 1/4 c. sauce soja

- 1 cuillère à soupe. Sriracha

- 1 oignon vert, coupé délicatement

- 1 cuillère à soupe. graines de sésame

Guildines:

1. Dans une énorme poêle à feu moyen, chauffer l'huile végétale. Ajouter l'ail et le gingembre et cuire 1 à 2 minutes jusqu'à ce qu'ils soient parfumés. Ajouter le porc et cuire jusqu'à ce qu'il n'y ait plus de parties roses.

2. Écarter le porc et ajouter l'huile de sésame. Ajoutez l'oignon, la carotte et le chou. Mélanger

pour consolider avec la viande et ajouter la sauce soja et la sriracha. Cuire jusqu'à ce que le chou soit délicat, 5 à 8 minutes.

3. Déplacez le mélange dans un plat de service et rehaussez-le avec des oignons verts et des graines de sésame. Servir.

Poêle à courgettes à la saucisse

Fixations:

- 1 cuillère à soupe de margarine ou d'huile d'olive

- 1/2 tasse d'oignon coupé environ 3/4 tasse

- 1 cuillère à café d'ail émincé 1-2 gousses

- 14 onces de saucisse de Francfort fumée coupées au milieu sur le long chemin et ensuite en morceaux de 1/4 de pouce

- 2 courgettes moyennes coupées au milieu sur la longueur et ensuite en morceaux de 1/4 de pouce

- 1 courge jaune coupée au milieu sur le long chemin et ensuite en morceaux de 1/4 de pouce

- 2 tasses de tomates raisins ou cerises coupées cinquante-cinquante sur le long chemin

- 1 cuillère à café d'origan séché

- 1/2 cuillère à café de morceaux de poivron rouge

- 1/2 cuillère à café de sel à volonté

Des lignes directrices:

1. Chauffer une poêle de 12 pouces à feu moyen.

2. Liquéfier la margarine dans la poêle, puis ajouter l'oignon coupé en dés; mélanger et cuire jusqu'à ce que les oignons soient délicats.

3. Incorporer l'ail et cuire 30 secondes avant d'ajouter la saucisse fumée coupée.

4. Cuire jusqu'à ce que la saucisse soit caramélisée; environ 7 minutes.

5. Incorporer les légumes et les saveurs et cuire encore 7 minutes ou jusqu'à ce que les courgettes soient (délicates, mais en même temps une touche de purée).

6. Servir seul ou sur un lit de riz cuit à la vapeur.

36.Bolets d'artichaut aux épinards et pommes de terre au boeuf

Fixations:

- 1 tasse de cheddar à la crème fouettée, détendu

- 1/2 tasse de crème dure

- 1 tasse de crème épaisse

- 1 boîte de cœurs d'artichaut, épuisés et généralement coupés

- 2 tasses d'épinards cuits (décongelés lorsqu'ils sont congelés), bien épuisés et coupés en tranches

- Sel et poivre au goût

- 3 livres de pommes de terre Yukon Gold, dépouillées et coupées en 1/4 de pouce s'ajuste

- 1/2 bâton de tartinade non salée, coupé délicatement

- 8 onces de cheddar Monterey Jack, détruit

- 1/2 tasse de cheddar parmesan, finement moulu

- 1 cuillère à soupe de tartinade non salée, dissoute

Des lignes directrices:

1. Dans un grand bol, consolider la crème cheddar, la crème substantielle, la crème âcre, les artichauts et les épinards jusqu'à consistance lisse. Ajoutez du sel et du poivre au goût, et ajoutez d'autant plus de crème si le mélange est encore trop dur pour même envisager de l'étaler rapidement. Apportez à la température ambiante avant d'utiliser si vous faites tôt.

2. Préchauffez le poêle à 400 ° F.

3. Dans un plat de repas profond, étalez une couche de pommes de terre pour que les bords se couvrent un peu. Étalez une couche éloignée du mélange velouté d'épinards et d'artichaut sur les pommes de terre (cela n'a pas besoin d'être génial), à ce moment-là, saupoudrez d'une fine couche de cheddar et garnissez de 3-4 coupes fragiles de margarine.

4. Garnir d'une autre couche de pommes de terre, en veillant à ce que les bords se couvrent légèrement et remuer avec la combinaison épinards-artichaut jusqu'à ce que vous manquiez de fixations.

5. Organiser la dernière couche de pommes de terre sur le dessus, badigeonner généreusement de margarine liquéfiée et garnir de cheddar parmesan avant de passer au gril.

6. Chauffer pendant 30 à 40 minutes jusqu'à ce que les pommes de terre soient délicates et que le dessus soit de couleur terreuse brillante et frais. Éliminer du feu et laisser reposer 15 minutes avant de servir.

37. Bol de riz à la dinde Teriyaki

Fixations

- 1 tasse et 1/2 de riz au jasmin

- 3-4 gousses d'ail (6 grammes)

- 1 cuillère à soupe de graines de sésame

- 1 gros poivron rouge (environ 340 grammes)

- 4-5 carottes moyennes (environ 227 grammes)

- Lot de 3 bokchoy infantiles d'environ 227 grammes)

- 4 tiges d'oignon vert

- 1/2 tasse de sauce végétalienne aux crustacés

- 4 cuillères à soupe de sauce hoisin

- 1 cuillère à soupe de fécule de maïs

- 500 grammes de dinde hachée

- 5 cuillères à soupe d'huile de cuisson

- 1/2 sel

- 1/2 cuillère à café de poivre

- 2 et 1/2 tasses en plus de 1 tasse d'eau

- Médiavine

Des lignes directrices:

1. Lavez et séchez vos légumes. Émincer l'ail et couper les oignons verts maigrement. Dénuder et couper les carottes en 1/4 de pouce d'épaisseur ajustée, centrer le poivron et couper en morceaux de 1/2 pouce. Séparez les feuilles de bokchoy infantile et coupez chaque morceau en 2 à 3 sections différentes.

2. Chauffer une casserole moyenne à feu moyen. Ajouter 1/2 cuillère à soupe d'huile de cuisson. Ajouter l'ail, le riz et la moitié des graines de sésame. Mélangez les fixations parfois, jusqu'à ce qu'elles soient parfumées. Ajoutez prudemment 2 et 1/2 tasses d'eau. À feu vif, chauffer la combinaison de riz jusqu'à ébullition. Laisser bouillonner pendant 2 minutes, baisser la chaleur et couvrir. Cuire 12 à 14 minutes, jusqu'à ce que le liquide soit assimilé et que le riz soit délicat. Éliminer de la chaleur et mettre dans un endroit sûr.

3. Réchauffez l'huile dans un énorme récipient. Ajoutez 2 cuillères à soupe d'huile de cuisson. Ajouter les carottes et les poivrons. À feu vif, cuire le mélange jusqu'à ce qu'il soit délicatement frais, environ 5 minutes en jetant les légumes par hasard — assaisonner de sel et de poivre. Ajouter le bokchoy et cuire 5 minutes supplémentaires, ou

jusqu'à ce qu'il soit délicat. Déplacez les légumes dans une assiette et couvrez-les de papier d'aluminium ou de papier absorbant pour les garder au chaud.

4. Ensuite, fouettez ensemble la sauce aux crustacés, la sauce hoisin, la fécule de maïs et 1 tasse d'eau dans un bol moyen jusqu'à ce que le mélange soit sans bosse.

5. Réchauffez 1 cuillère à soupe d'huile de cuisson dans un plat similaire. À feu moyen, faites cuire la dinde en la séparant avec votre ustensile. Lorsque la dinde est caramélisée et qu'il ne reste plus d'ombrage rose, vider délicatement le mélange de sauce aux palourdes dans le récipient. Chauffer jusqu'à ébullition. Baisser le feu et poursuivre la cuisson jusqu'à ce que la sauce épaississe un peu. L'humeur tue la chaleur.

6. Éclaircissez le riz avec une fourchette. Mélanger en partie les oignons verts et assaisonner avec un brouillage ou deux de sel. Pour rassembler les bols de riz, répartir le riz dans les bols, garnir de la combinaison de dinde et des légumes. Améliorez les plats avec l'excès de graines de sésame et d'oignons verts.

38.Bar-b-que Crevettes asperges à l'igname

Fixations:

POUR LES POMMES DE TERRE DOUCES GRILLÉES

- 2 énormes ignames

- 2 cuillères à soupe d'huile d'avocat ou d'huile d'olive
- sel de mer au goût

POUR LES CREVETTES:

- 1 livre de crevettes brutes dépouillées et déveinées
- 1 cuillère à soupe d'huile d'avocat ou d'huile d'olive
- 2 cuillères à soupe de tequila discrétionnaire
- 1 cuillère à café de paprika
- 1 cuillère à café d'ail en poudre
- 1/4 cuillère à café de sel marin au goût

POUR LES BOLS:

- 4 tasses de riz de couleur terreuse cuit
- 2 avocats dénudés et coupés
- 2 tasses de tomates cerises coupées
- 2 tasses de chou rouge, coupé délicatement
- 2 piments fresno coupés
- 2 limes coupées en quartiers
- coriandre discrétionnaire
- sriracha pour servir

Des lignes directrices:

1. Préparez LES POMMES DE TERRE DOUCES:

Repérez les ignames dans une casserole et remplissez d'eau. Porter à une bulle pleine et cuire 5 à 8 minutes, jusqu'à ce que les pommes de terre se soient mollifiées mais ne soient pas cuites. Déplacez les pommes de terre sur une planche à découper et laissez-les refroidir suffisamment pour être traitées. Une fois refroidi, coupé en 1/4 de pouce d'épaisseur s'ajuste. Enduire les coupes d'igname d'huile et saupoudrer de sel marin.

2. Configurez LA CREVETTE:

Préchauffer le gril à feu moyen-vif. Ajouter les éléments pour les crevettes dans un sac scellable et bien agiter pour les joindre. Laisser mariner les crevettes pendant que le gril à la flamme se réchauffe.

3. Griller à la flamme LES POMMES DE TERRE DOUCES ET CREVETTES

Lorsqu'elle est chaude, placez les morceaux d'igname sur le barbecue. Faire griller à la flamme pendant 5 à 8 minutes de chaque côté, jusqu'à ce que de profondes empreintes de rôti apparaissent et que les ignames soient bien cuites. Passez à une planche à découper. Une fois refroidies, coupez les ignames en morceaux de la taille désirée. Mettez les crevettes sur le barbecue chaud et faites-les griller à la flamme 2 minutes de chaque côté ou jusqu'à ce qu'elles soient bien cuites.

4. Installez LES BOLS:

Riz de séparation entre 3 à 4 plats. Garnir de crevettes grillées et d'igname, d'avocat, de chou, de tomates, de piments fresno, de quartiers de lime et de coriandre. Saupoudrez de sriracha quand vous le souhaitez.

39.Légumes de poulet au romarin et au citron et à l'aneth

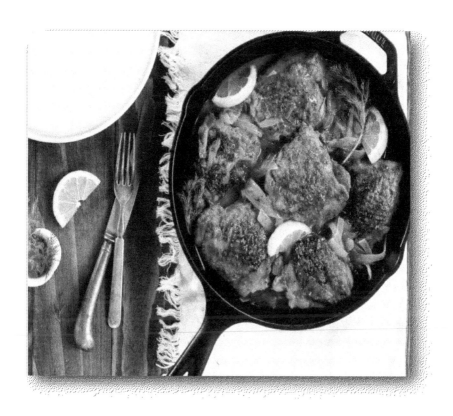

Fixations:

- 8 à 10 morceaux de votre morceau de poulet n ° 1 - peau sur os

- 1 lb de pommes de terre rouges pour nourrissons

- 1/2 oignon - couper d'énormes morceaux

- 2 citrons 1 coupé et 1 pressé

- 1/3 tasse d'huile d'olive

- 2 gousses d'ail émincées

- 1 cuillère à soupe de romarin nouveau en plus des branches à tailler ou 2 cuillères à café sèches

- 1/2 cuillère à café de morceaux de poivron rouge écrasé

- 1/2 cuillère à café de sel

- 1/2 cuillère à café de poivre nouveau moulu

Des lignes directrices:

1. Préchauffer le gril à 400 degrés F.

2. Douchez un verre de 13 po. x 9 pouces plat chauffant avec douche de cuisson. Orchestrer les morceaux de poulet (côté peau vers le haut), les

pommes de terre, l'oignon coupé et les morceaux de citron uniformément dans la poêle.

3. Dans un petit bol, fouetter ensemble le jus de citron, l'huile d'olive, l'ail, le romarin, les morceaux de poivron rouge écrasés, le sel et le poivre.

4. Verser le mélange sur le poulet en veillant à ce que tout le poulet soit couvert. Jetez un morceau si fondamental.

5. Saupoudrer généreusement de sel et de poivre supplémentaires.

6. Faire chauffer pendant environ 60 minutes ou jusqu'à ce que le poulet et les pommes de terre soient complètement cuits.

40 Riz aux haricots verts au poulet au sésame et au nectar

INSRUCTIONS

- ¾ lb de filets de poulet

- ½ tasse de riz au jasmin

- 6 oz de haricots verts

- 2 cuillères à soupe de Gochujang

- 1 cuillère à soupe de miel

- 1 cuillère à soupe d'huile de sésame

- 2 cuillères à soupe de glaçage de soja

- 1 cuillère à café de graines de sésame noir et blanc

Conseils:

1 Faites cuire le riz:

Éliminez le nectar du réfrigérateur pour le ramener à température ambiante. Dans une petite casserole, joignez 1 tasse d'eau, une grande tache de sel et une grande partie du gochujang comme vous le souhaitez, en fonction du piquant que vous souhaitez que le riz soit. Rapidité à rejoindre. Ajouter le riz et réchauffer à bouillir à puissance élevée. Lorsque vous faites des bulles, diminuez la chaleur à basse température. Couvrir et cuire, sans mélanger, de 12 à 14 minutes, ou jusqu'à ce que le riz soit délicat et que l'eau soit consommée. Mood killer la chaleur et amortir avec une fourchette.

2 Préparez la sauce:

Pendant la cuisson du riz, dans un bol, joignez le nectar (en manipulant le paquet avant de l'ouvrir), la couche de soja, l'huile de sésame et 2 cuillères à soupe d'eau.

3 Assaisonnez le poulet et faites cuire les haricots verts:

Pendant que le riz continue de cuire, essuyez le poulet avec du papier absorbant — assaisonnez avec du sel et du poivre des deux côtés. Dans un énorme plat (antiadhésif, si vous en avez un), faites chauffer une pincée d'huile d'olive à feu moyen-vif. Ajouter les haricots verts et 1 cuillère à soupe d'eau (avec précaution, car le liquide peut éclabousser); Assaisonnez avec du sel et du poivre. Cuire 1 à 2 minutes, en mélangeant souvent, ou jusqu'à ce que légèrement détendu. Écartez les haricots verts de la poêle.

4 Faites cuire le poulet et servez votre plat:

Ajouter le poulet préparé en une couche uniforme sur le côté opposé de la poêle. Cuire 3 à 5 minutes, sans mélanger, ou jusqu'à ce que le poulet soit délicatement sauté. Retournez le poulet. Ajouter la sauce (avec précaution, car le liquide peut éclabousser). Continuez à cuire, en mélangeant périodiquement, 3 à 5 minutes, ou jusqu'à ce que le poulet soit bien cuit et que les haricots verts soient délicats. Servir le poulet cuit, les haricots verts et la sauce sur le riz cuit. Garnir avec les graines de sésame. Apprécier!

41 Poulet pois chiches au curry et au quinoa aux épinards

Fixations

- 4 oz / 150 g de poitrine de poulet, coupée en cubes
- 1 tasse d'épinards
- 2 gousses d'ail

- 1 tasse de pois chiches en conserve, lavés et épuisés

- 1/2 tasse de quinoa, cuit

- 2 cuillères à soupe de crème fraîche

- 1 cuillère à soupe de colle de tomate

- 1 cuillère à café de coriandre

- 1 cuillère à café de cumin

- 1 cuillère à café de poivron rouge écrasé

- 1/3 tasse de feuilles de basilic

- 2 cuillères à soupe d'huile d'olive

- 1 petit oignon

Des lignes directrices

1. Faire revenir l'oignon avec l'huile d'olive, le cumin, la coriandre et le poivron rouge écrasé jusqu'à ce qu'il soit parfumé.

2. Ajouter la couverture de poulet avec un dessus pendant 3-4 minutes ou jusqu'à ce qu'elle soit presque cuite.

3. Incorporer les pois chiches et ajouter un peu d'eau (si nécessaire, environ 2 cuillères à soupe) et la crème forte et la colle de tomate, cuire 2 minutes.

4. Incorporer le quinoa et les épinards. Enfin, ajoutez l'ail et le basilic et faites cuire en mélangeant pendant 1 à 2 minutes supplémentaires jusqu'à ce que tout soit consolidé.

5. Servez chaud!

42. Pain de viande de dinde chou-fleur écraser les asperges

Fixations

Dinde de viande:

- 1 cuillère à soupe d'huile d'olive

- 1 oignon doux, coupé en dés

- 2 gousses d'ail émincées

- $\frac{1}{2}$ tasse de persil frais coupé, en plus pour la fixation

- 1 livre Shady Brook Farms 93% de dinde hachée

- 3/4 tasse de morceaux de pain préparés

- 1/2 tasse de lait

- 1 gros œuf, délicatement battu

- 2 cuillères à soupe de ketchup ou de sauce barbecue

- 1 cuillère à soupe de sauce Worcestershire

- 1 cuillère à café de sel légitime

- 1/2 cuillère à café de basilic séché

- $\frac{1}{2}$ cuillère à café de persil séché

- $\frac{1}{2}$ cuillère à café d'ail en poudre

- $\frac{1}{2}$ cuillère à café de poivre noir fraîchement cassé

- $\frac{1}{3}$ tasse de ketchup

- $2\frac{1}{2}$ cuillères à soupe de sucre de couleur terreuse

- 1 cuillère à soupe de vinaigre de jus de pomme

MASH DE CHOU-FLEUR À L'AIL Cuit

- 2 têtes d'ail

- 2 cuillères à café d'huile d'olive

- 1 énorme chou-fleur

- 2 cuillères à soupe de tartinade, dissoutes

- 1/4 tasse de liquide de cuisson du chou-fleur

- Sel et poivre

Les directions:

1. Préchauffez le poêle à 375 degrés F. Commencez par faire griller l'ail en premier. Coupez le dessus des têtes d'ail et arrosez-les d'huile d'olive. Entourez les têtes de papier d'aluminium et collezles dans le poêle pendant 40 minutes ou quelque part à proximité pendant que vous faites tout le reste!

2. Chauffer une poêle à feu moyen et ajouter l'huile d'olive. Incorporer les oignons et l'ail, cuire jusqu'à ce qu'ils soient apaisés et clairs, environ 5 minutes. Incorporer le persil nouveau. Éliminer de la chaleur et laisser refroidir un peu.

3. Dans un bol, ajoutez la dinde hachée, l'oignon, l'ail, les restes de pain, le lait, l'œuf, le ketchup, la sauce Worcestershire, le sel, le basilic, le persil, l'ail et le poivre. Utilisez vos mains pour unir la combinaison jusqu'à ce qu'elle soit juste consolidée et que les fixations soient également transmises.

Structurez le mélange en petits pains de viande d'environ 1 pouce d'épaisseur et 2 creeps de long.

4. Réchauffez une poêle similaire à feu moyen et ajoutez une autre cuillère à soupe d'huile d'olive. Ajouter les pains de viande dans la poêle et de couleur terreuse des deux côtés, environ 3 à 4 minutes pour chaque côté.

5. Mélangez le ketchup, le sucre de couleur terreuse et le vinaigre dans un bol. Versez 1 à 2 cuillères à soupe sur chaque pain de viande. Repérez la poêle dans la cuisinière et préparez-la pendant 20 à 25 minutes, ou jusqu'à ce que le point focal des pains de viande arrive à 165 degrés F.Au point une fois terminé, saupoudrez de persil nouveau.

6. Pendant que les pains de viande sont dans le gril, faites écraser votre chou-fleur. Coupez la tête de chou-fleur en fleurons. Repérez-le dans un énorme pot ou un pot et couvrez-le d'eau, à peu près un pouce après le sommet du chou-fleur. Chauffer le mélange jusqu'à ébullition et cuire jusqu'à ce qu'il soit délicat, environ 10 minutes ou quelque part à proximité. Canalisez le chou-fleur en tenant environ 1/4 tasse de liquide.

7. Ajouter le chou-fleur dans un robot culinaire et mélanger jusqu'à ce qu'il soit réduit en purée. Ajoutez le liquide de cuisson et la pâte à tartiner ramollie, accompagnée d'une tache de sel et de

poivre. À ce stade, les gousses d'ail doivent être mijotées. Pressez-les du papier dans la purée de chou-fleur. Réduisez en purée pour consolider. Goûtez et assaisonnez avec plus de sel et de poivre si nécessaire.

8. Servez les pains de viande et le chou-fleur écrasé avec un légume de votre choix! J'adore un haricot vert ou un chou de Bruxelles. Apprécier!

43.Salade maison (végétalienne)

Fixations:

- 2 têtes de romaine (environ 6 à 8 tasses), coupées

- ¾ tasse de garnitures de pain

- ½ tasse de carottes détruites

- ½ concombre, maigrement coupé

- ¼ d'oignon rouge, coupé

- un petit bouquet de tomates cerises, tranchées au milieu

- Vinaigrette au cidre de pomme

- 4 cuillères à soupe de vinaigre de jus de pomme (préf. Bragg's brut)

- 3 cuillères à soupe d'huile d'olive (voir notes)

- 1 à 2 cuillères à café de dijon

- 1 gousse d'ail émincée

- ¼ - ½ cuillère à café de sel + poivre

Des lignes directrices:

1. Vinaigrette: Dans un petit bol ou un récipient en verre, fouetter ensemble le vinaigre de jus de pomme, l'huile d'olive, le dijon, l'ail et le sel + poivre. Assaisonner selon l'envie.

2. Rassemblez la salade: dans un énorme bol de service, remplissez de romaine (ou de légumes verts de décision), garnissez de carottes, d'oignon,

de concombre et de garnitures de pain. Saupoudrez la vinaigrette sur le dessus et jetez pour rejoindre.

3. Pour 4 à 6 petits accompagnements, ou 1 à 2 comme souper principal.

4. Servir dans des plats individuels pour plus de surface et de saveur, garnir de bacon à la noix de coco, de pois chiches rôtis croustillants ou de parmesan aux amandes pour plus de variété. Une pincée de pepitas, de graines de tournesol ou de graines de chanvre serait également généreuse!

5. Conserver: Les restes peuvent être conservés au réfrigérateur jusqu'à 2 à 3 jours. Si c'est le cas pour la préparation du dîner, il peut être idéal de conserver l'assiette de légumes verts mélangés et de vinaigrette indépendamment jusqu'à ce que vous soyez prêt à servir.

44 Assiette d'oeufs de saumon de légumes verts mélangés sur vert

Fixations:

- Métrique

- 2 morceaux de filet de nouveau saumon sans peau et désossé (environ 150 g chacun)

- 4 œufs

- 2 cœurs de laitue diamantés, coupés en quartiers

- 6 olives noires, tranchées au milieu

- 6 olives vertes, tranchées au milieu

- 8 tomates cerises, coupées en quartiers

- 80 g de haricots verts fins

- 1 pain pitta coupé, peu attaqué, formes imprévisibles

- 2 cuillères à soupe de crème âcre, affaiblie avec $\frac{1}{2}$ cuillère à soupe d'eau haute température

- 3 cuillères à soupe d'huile d'olive, pour la cuisson et la vinaigrette

- 1 pincée de vinaigre balsamique

- 2 segments de filet de nouveau saumon sans peau et désossé (environ 150 g chacun)

- 4 œufs

- 2 cœurs de laitue perlée, coupés en quartiers

- 6 olives noires, tranchées au milieu

- 6 olives vertes, tranchées au milieu

- 8 tomates cerises, coupées en quartiers

.5 oz de haricots verts fins

- 1 pain pitta coupé, peu attaqué, formes sporadiques

- 2 cuillères à soupe de crème âcre, affaiblie avec $\frac{1}{2}$ cuillère à soupe d'eau chaude

- 3 cuillères à soupe d'huile d'olive, pour la cuisson et la vinaigrette

- 1 pincée de vinaigre balsamique

- 2 ilets de nouveau saumon sans peau et désossé (environ 150 g chacun)

- 4 œufs

- 2 cœurs de laitue bijou, coupés en quartiers

- 6 olives noires, tranchées au milieu

- 6 olives vertes, tranchées au milieu

- 8 tomates cerises, coupées en quartiers

- 2,8 oz de haricots verts fins

- 1 pain pitta coupé, peu attaqué, formes sporadiques

- 2 cuillères à soupe de crème dure, affaiblie avec $\frac{1}{2}$ cuillère à soupe d'eau haute température

- 3 cuillères à soupe d'huile d'olive, pour la cuisson et la vinaigrette

- 1 pincée de vinaigre balsamique

Conseils:

1. Pour commencer, faites cuire le saumon. Réchauffez un récipient antiadhésif et ajoutez un peu d'huile d'olive. Faites cuire le saumon de tous les côtés jusqu'à ce qu'il soit caramélisé et ait un aspect légèrement mijoté. Cela devrait prendre environ 7 minutes. Au moment où vous avez terminé, laissez le saumon après coup refroidir légèrement pendant que vous installez différentes pièces.

2. Pour cuire les œufs, faites chauffer une petite casserole d'eau jusqu'à ébullition. Abaissez les œufs tendrement en utilisant une cuillère ouverte. Faites bouillir pendant 3-4 minutes - en fonction de la taille de l'œuf. Éliminez et laissez refroidir. Dénudez et coupez en quartiers.

3. Faites chauffer de l'eau et faites cuire les haricots verts pendant 1 instant. Éliminez les haricots et refroidissez rapidement dans l'eau virale. Les haricots doivent être verts et croquants. Canalisez les haricots et mettez-les dans un bol.

4. Réchauffez une poêle antiadhésive et faites frire les garnitures de pain pitta déchirées - elles doivent être de couleur terreuse brillante et légèrement croquantes - ajoutez-les aux haricots dans le bol.

   Ajouter les cœurs de perles, les olives et les tomates dans le bol.

5. Habillez toute l'assiette de fixations de légumes verts avec un peu d'huile d'olive vierge supplémentaire et une pincée de vinaigre balsamique. Écartez la portion de légumes verts mélangés entre deux assiettes.

6. Prenez actuellement votre saumon et, en utilisant des mains propres (ou deux cuillères), manoeuvrez le tissu en énormes chips généreuses. Repérez le saumon émietté cuit sur la portion de verdure mélangée. De plus, ajoutez les quartiers d'œufs bouillis. Douchez-vous sur une petite vinaigrette à la crème.

45.Buffalo poulet concombre tranches de fruits

Fixations

- 1 concombre, coupé en morceaux d'un quart de pouce (devrait donner environ 16 morceaux)

- 3 cuillères à soupe de poulet détruit

- $\frac{1}{4}$ tasse de cheddar à la crème détendu

- 3 cuillères à café de sauce piquante (ou comme vous préférez)

- 3 cuillères à café de céleri, finement fendu

- 1 $\frac{1}{2}$ cuillère à soupe de mozzarella cheddar

- 1 cuillère à café de vinaigrette fermière ou $\frac{1}{2}$ cuillère à café de préparation fermière

- Sel et poivre au goût

- 3 cuillères à soupe de cheddar bleu désintégré

- Persil pour décorer

- Médiavine

Des lignes directrices

1. Dans un petit bol, ajoutez le poulet, le cheddar à la crème, la sauce piquante, le cheddar mozzarella, la ferme et le céleri. Bien mélanger.

2. Alignez le concombre, ajoutez environ une cuillère à café de mélange de cheddar à la crème à chaque concombre coupé.

3. Top combinaison avec du cheddar bleu. Embellissement avec du persil, de la sauce piquante et du céleri (quand on le souhaite).

46.Vers de chou frisé à l'ananas épicé de légumes verts mélangés (amateur de légumes)

Fixations:

- 1 petite tête de chou lacinato, lavée, épines éliminées et maigrement coupées
- 1/2 tasse d'ananas nouveau en cubes

- 1/4 tasse d'oignon rouge haché

- 1 poivron rouge, cultivé et haché

- 1 piment jalapeño, émincé [épépiner pour moins de chaleur]

- 1 citron vert, pressé

- 1/2 peu d'orange, pressée

- 1/2 cuillère à café de poudre de cumin

- 1 cuillère à soupe de graines de chanvre

- 1 cuillère à café d'huile d'olive [facultatif]

Des lignes directrices:

1. sel et poivre fraîchement moulu au goût

2. Planifiez le chou frisé et placez-le dans un bol moyen. Dos frottez le chou frisé, écrasant dans la paume de vos mains jusqu'à ce qu'il rétrécisse - environ 2 minutes.

3. Dans un autre bol, joignez les jus d'ananas, de coriandre, d'oignon, de piment rouge, de jalapeño, de citron vert et d'orange et de cumin en poudre. Bien mélanger et laisser représenter 15 minutes.

4. Jeter une combinaison d'ananas avec du chou frisé.

5. Assaisonnez avec du sel et du poivre. Douche d'huile d'olive [si désiré] et saupoudrer de graines de chanvre peu de temps avant de servir.

47 Riz de couleur terreuse aux pois chiches Teriyaki brocoli (végétarien)

Fixations

- Pois Chiches Teriyaki

- 1 boîte de pois chiches, (voir notes)

- 1/2 tasse de sauce Teriyaki, (118 ml)

- 1 petit poivron rouge, coupé en tranches

- Sel et poivre au goût

- Choux de Bruxelles cuits

- 3 tasses de choux de Bruxelles (264g)

- 1 cuillère à soupe d'huile d'olive

- Sel et poivre au goût

- Sauté aux champignons et au brocoli

- 9 petits champignons, coupés

- 1 petite tête de brocoli, coupée en morceaux plus modestes

- 1 cuillère à soupe d'huile

- 3 gousses d'ail émincées

- 2 cuillères à soupe de sauce soja

- Poivre noir, au goût

Des lignes directrices:

1. Lavez les choux de Bruxelles sous l'eau virale pour éliminer la terre et coupez les tiges si nécessaire. Canaliser complètement et sécher sur une accumulation, accumuler un torchon de cuisine gratuit.

2. Coupez-les au milieu et placez-les sur l'assiette de préparation. Enrober les morceaux uniformément d'huile d'olive et assaisonner de sel et de poivre noir. Déposer les morceaux côté coupé vers le bas et la farine dans le gril à 180 ° C / 356 ° F pendant 15 à 20 minutes, jusqu'à ce qu'ils soient de couleur terreuse et fermes. Retourner les exemples partiellement pendant la durée de cuisson.

3. Pendant ce temps, faites chauffer l'excès d'huile dans une poêle et ajoutez les tranches de brocoli et les champignons. Cuire jusqu'à ce que le brocoli commence à brunir, puis assaisonner avec la sauce soya, l'ail et le poivre noir. Éliminer de la poêle.

4. Servir les pois chiches, les jeunes pousses et les aliments sautés avec du riz ou des nouilles

48.Légumes de galette de dinde Jerk

Ingrédients:

- 1 livre de dinde hachée maigre

- 1/3 tasse de marinade jerk

- 1/3 tasse de chapelure nature

- 2 oignons verts entiers, émincés

- 1/2 cuillère à café de sel casher

- 1/4 cuillère à café de poivre

- 1 cuillère à soupe d'huile d'olive

- 1 petite mangue mûre, pelée et tranchée

Instructions:

1. Dans un grand bol, mélanger la dinde, la marinade jerk, la chapelure, les oignons verts, le sel et le poivre. Ne pas trop mélanger.

2. Façonner le mélange en 4 galettes plates uniformes; bien badigeonner les deux côtés d'huile. Transférer sur une plaque à pâtisserie tapissée de papier sulfurisé.

3. Placez les galettes au réfrigérateur pendant au moins 1 heure.

4. Préchauffer le gril à feu moyen-vif. Huiler bien le gril et cuire les hamburgers pendant 5 à 6 minutes

de chaque côté ou jusqu'à ce qu'ils soient bien cuits, que la température interne atteigne 165 degrés F et ne soit plus rose au centre.

5. Servir sur des petits pains avec de la mayonnaise et de la mangue mûre fraîche!

49.Patate douce aux asperges et poulet aux herbes

Fixations:

- 1 énorme igname, dépouillée et coupée en dés en morceaux de 1/2 pouce au total

- 1/4 tasse d'huile d'olive, isolée

- 4 gousses d'ail, écrasées ou finement coupées, séparées

- 2 cuillères à café d'origan séché, isolé

- 2 cuillères à café de basilic, isolé

- 2 cuillères à café de persil, isolé

- Sel et poivre noir fraîchement moulu

- 21 onces (600 g) de poitrines de poulet désossées et sans peau, coupées en morceaux de 1/4 po

- 1 énorme tête de brocoli coupée en fleurons (environ 3 tasses de fleurons)

- 1 poivron rouge (poivron), épépiné et coupé en quartiers

- 1 oignon rouge moyen, coupé en quartiers

les directions

1. Préchauffer le gril à 400 ° F (200 ° C).

2. Tapisser une énorme plaque / plaque chauffante à rebord avec du papier ou une feuille d'aluminium. Orchestrez les ignames dans l'assiette; saupoudrer avec 1 cuillère à soupe d'huile (ou assez pour

couvrir également), 1 gousse d'ail écrasée, 1/2 cuillère à café de chaque origan, basilic et persil. Jeter bien pour couvrir complètement. Assaisonner de sel et de poivre et étendre en une couche uniforme. Couvrir de papier d'aluminium et mettre la farine dans un gril chaud pendant 20 minutes tout en préparant les restes de légumes.

3. Les ignames commenceront simplement à se détendre à partir de maintenant (elles seront même maintenant dans une certaine mesure difficiles à l'intérieur, mais délicates à l'extérieur). Éliminer du feu et organiser le poulet, le brocoli, les poivrons et l'oignon autour des ignames. Saupoudrer d'huile résiduelle; ajoutez l'ail et les épices. Jeter tout cela ensemble pour couvrir complètement dans l'huile - assaisonner avec du sel et du poivre supplémentaires au goût.

4. Revisitez la cuisinière et préparez-vous pendant 15 à 20 minutes, en retournant le poulet et les différentes fixations une fois pendant la cuisson, jusqu'à ce que le poulet soit bien cuit et non, à ce stade rose au centre, et que différents légumes soient cuits.

5. Servir rapidement OU laisser refroidir à température ambiante, diviser en 4 supports, et vous avez des dîners préparés pour la semaine!

50.Italian dinde hot-dog poivrons pommes de terre rouges

Fixations

- 4 énormes pommes de terre dépouillées et coupées en quartiers, jaunes ou brun rougeâtre, environ 2 livres

- 3 cuillères à soupe d'huile d'olive vierge supplémentaire, isolée

- 3-4 gousses d'ail coupées grossièrement

- 2 oignons moyens coupés

- presser les morceaux de poivron rouge discrétionnaire

- 4 saucisses italiennes coupées en tiers

- 1 poivron rouge géré et coupé

- 1 poivron jaune géré et coupé

- 4-5 oignons verts coupés

- 1-1½ cuillères à café de paprika

- sel et poivre au goût

- 3-4 cuillères à soupe de persil italien frais et finement haché

Des lignes directrices

1. Préchauffer le gril à 425 ° F (220 ° C).

2. Repérez la mouture du poêle sur la grille inférieure de la communauté, qui est la deuxième à partir de la base.

3. Ajouter les quartiers de pommes de terre dans une grande casserole d'eau froide salée.

4. Chauffez jusqu'à ébullition, diminuez la chaleur et ensuite faites mijoter jusqu'à ce qu'une lame soit délicate ou qu'une lame puisse percer. Cela prend environ 8 à 10 minutes, en fonction de l'épaisseur de vos coins.

5. Ajouter 2 cuillères à soupe d'huile d'olive dans une grande poêle à feu moyen-élevé.

6. Baisser le feu à moyen, ajouter 3-4 gousses d'ail coupées et mélanger pendant environ 30 secondes.

7. Ajouter les 2 oignons coupés et cuire 5 à 7 minutes environ.

8. Ajoutez du sel et du poivre au goût. Dans le cas où vous aimez un peu de chaleur, n'hésitez pas à ajouter une pincée ou deux de morceaux de poivron rouge.

9. Ajouter les saucisses italiennes au plat et joindre les oignons. Faire sauter environ 10 minutes.

10. Vérifiez la cuisson des pommes de terre.

11. Au cas où une lame puisse être intégrée sans beaucoup d'étirement, elle est terminée. Avec une cuillère ouverte, déplacez les pommes de terre étuvées dans un énorme bol.

12. Ajoutez 1 cuillère à café de paprika et 1 cuillère à soupe d'huile d'olive. Rejoignez les pommes de terre étuvées et mettez-les dans un endroit sûr.

13. Ajouter les poivrons rouges et jaunes coupés et les oignons verts dans le récipient. Faire sauter environ 5 minutes ou jusqu'à ce qu'ils commencent simplement à se fondre

14. Déplacez à la fois la saucisse et la combinaison de pommes de terre dans un énorme plat de préparation profond (environ 9 x 13 pouces).

15. Jetez tendrement ensemble.

16. Chaque fois que vous le souhaitez, saupoudrez d'un peu plus de paprika, environ $\frac{1}{2}$ cuillère à café ou quelque chose comme ça.

17. Couvrir de bois d'aluminium et chauffer environ 20 minutes.

18. Révélez et préparez pendant 15 à 20 minutes supplémentaires ou jusqu'à ce que la majorité de l'humidité ait disparu et que la couche supérieure semble, de toute évidence, être agréablement cuite.

19. Déplacez-vous dans un plat de service, embellissez avec du persil coupé en tranches et servez.

CONCLUSION

Le régime méditerranéen n'est pas un régime unique mais plutôt un régime alimentaire qui s'inspire du régime alimentaire des pays du sud de l'Europe. L'accent est mis sur les aliments végétaux, l'huile d'olive, le poisson, la volaille, les haricots et les céréales.

.

Lightning Source UK Ltd.
Milton Keynes UK
UKHW021356070521
383304UK00001B/148